Dr. Wayne W. Dyer

A FORÇA INVISÍVEL

365 MANEIRAS DE INCORPORAR O PODER DA INTENÇÃO À SUA VIDA

SEXTANTE

Título original: *The Invisible Force*

Publicado originalmente pela Hay House, Inc., Califórnia, EUA.
Sintonize a programação da Rádio Hay House em: www.hayhouseradio.com

tradução: Ivo Korytowski
preparo de originais: Valéria Prest
revisão: José Figueiredo e Sérgio Bellinello Soares
projeto gráfico, diagramação e capa: Miriam Lerner
pré-impressão: ô de casa
impressão e acabamento: Geográfica e Editora Ltda.

CIP-BRASIL. CATALOGAÇÃO-NA-FONTE
SINDICATO NACIONAL DOS EDITORES DE LIVROS, RJ

D994f Dyer, Wayne W., 1940-
A força invisível: 365 maneiras de incorporar o poder da intenção à sua vida / Wayne W. Dyer; tradução Ivo Korytowski. – Rio de Janeiro: Sextante, 2007.

Tradução de: The invisible force
ISBN 978-85-7542-314-1

1. Pensamento novo. 2. Espiritualidade. I. Korytowski, Ivo. II. Título.

07-2185 CDD: 289.98
CDU: 289.98

Rua Voluntários da Pátria, 45 – Gr. 1.404 – Botafogo
22270-000 – Rio de Janeiro – RJ
Tel.: (21) 2286-9944 – Fax: (21) 2286-9244
E-mail: atendimento@esextante.com.br
www.sextante.com.br

Introdução

Escrevi este livro para dizer que a intenção é um campo de energia que flui, invisível, além do alcance das nossas práticas cotidianas. É uma força que todos nós possuímos. E temos o poder de fazer com que ela se dissemine em nossas vidas – basta que *sejamos nós mesmos* essa energia que queremos atrair.

Espero que você utilize as mensagens destas páginas para tornar o poder da intenção uma dádiva permanente em sua vida e para se relacionar com o mundo de uma maneira nova e empolgante.

– Dr. Wayne W. Dyer

O poder da intenção é o poder do amor e da receptividade. Não exige nada de ninguém, não julga ninguém e encoraja os outros a serem livres para ser quem são.

Em nossa Origem, somos energia sem forma. E é nesse campo espiritual vibratório de energia que se encontra a intenção.

Quer você a chame de Deus, Espírito, Origem ou intenção, saiba que pensamentos maldosos enfraquecem e pensamentos bondosos fortalecem a sua ligação com essa força.

Permaneça humilde e grato por todas as suas realizações e esteja consciente de que uma força maior do que o seu ego está sempre em ação na sua vida.

Assuma o compromisso interno de respeitar a si mesmo e sinta-se merecedor de tudo o que o universo tem a lhe oferecer.

Se você não acredita que é digno de concretizar suas intenções quanto à saúde, à riqueza ou aos relacionamentos amorosos, está criando um obstáculo que inibirá o fluxo de energia criativa em sua vida.

Saiba que acontecimentos aparentemente milagrosos são direcionados ao seu espaço vital porque você já está conectado a eles.

Cultivando energias superiores, como otimismo, perdão, compreensão, reverência pelo Espírito, criatividade, serenidade e felicidade, seu propósito – que gira em torno de servir os outros e a Deus – se realiza e, como bônus, você conquista aliados.

Toda vez que seus pensamentos, sentimentos e atos são guiados pela bondade, isso acelera sua capacidade de se conectar ao poder da intenção.

Vigie seus pensamentos. Quando eles deixarem de ser compassivos, mude-os!

As palavras que representam as sete faces da intenção são as seguintes: *criatividade, bondade, amorosidade, beleza, expansividade, abundância* e *receptividade.* Memorize-as para entrar em harmonia com o poder da intenção.

Torne-se disponível para o sucesso, tome consciência de uma força invisível que tudo provê e confie nela.

Cultive este pensamento: *"Estou aqui com um propósito, posso obter tudo o que desejo e faço isso estando em harmonia com a força criativa que permeia todo o universo."*

Ativar o poder da intenção significa juntar-se novamente à sua Origem e tornar-se um feiticeiro dos tempos modernos, ou seja, atingir um nível de consciência em que coisas anteriormente inconcebíveis passam a ser possíveis.

Sentimentos de grande entusiasmo, pura felicidade, reverência, otimismo, confiança e iluminação indicam que o seu anseio de que o sucesso e a abundância se manifestem na sua vida possui um fortíssimo poder de atrair o que está na Origem universal para você.

Quando a vida parece estar agindo contra você, quando as pessoas supostamente erradas surgem ou quando você desliza e retoma velhos hábitos autodestrutivos, reconheça os sinais de que você não está em harmonia com a intenção.

O poder da intenção é tão livre de dúvida que, quando em sintonia com ele, você vê aquilo que gostaria de ter como algo que já existe.

Trate a si mesmo como se já fosse o que gostaria de se tornar.

Tudo o que você quer realizar é um fato existente que já está presente no Espírito.

Esforce-se para viver com bom humor e bondade. Essas são energias bem mais elevadas do que a da tristeza e a da maldade e tornam possível a concretização dos seus desejos.

As emoções negativas mostram que seu poder de atrair a intenção é fraco ou nem sequer existe. As emoções positivas demonstram que você está se conectando ao poder da intenção e acessando-o.

À medida que for despertando para a sua natureza divina, você começará a reconhecer a beleza em tudo o que vê, toca e experimenta.

Descartando a dúvida e pensando livremente, sem limites, você libera um espaço para que o poder da intenção flua pelo seu ser.

Não entenda a intenção como algo que você *faz,* e sim como uma força que existe no universo como um campo de energia invisível.

Pense sem cessar que há um poder infinito supremo produzindo os resultados que você deseja. É o poder criativo do universo.

Eleve-se ao nível de energia em que você *é* a luz que busca, em que você *é* a felicidade que deseja, em que você *é* o amor cuja falta sente, em que você *é* a abundância ilimitada pela qual anseia.

A forma de estabelecer um relacionamento com o Espírito e acessar o poder do seu princípio criativo é imaginar-se constantemente cercado pelas condições que você deseja produzir.

Seja generoso em todos os aspectos. Quanto mais der de si mesmo e de tudo o que flui até você, mais terá de volta em sua vida.

Talvez o caminho mais seguro rumo à felicidade e à realização na vida seja agradecer à sua Origem e louvá-la por *tudo* o que acontece com você. Assim, mesmo quando surgir uma calamidade, você poderá ter certeza de que a transformará numa bênção.

Você pode perfeitamente optar por duvidar do que os outros lhe dizem ou do que apreende com os sentidos, mas descarte a dúvida quando se trata de saber que uma força da intenção universal o planejou e o trouxe até aqui!

Entre em comunhão com a Origem num estado de gratidão reverente por tudo o que está presente na sua vida, sabendo que isso fortalece a sua intenção de fazer com que exatamente aquilo de que você necessita se manifeste.

Quanto mais consciente você se tornar do seu diálogo interior, mais cedo conseguirá passar de um pensamento como *"Estou insatisfeito com o que me falta"* para *"Pretendo atrair o que quero e parar de pensar no que me desagrada"*.

Por ser onipresente, o campo de energia da intenção é totalmente acessível a você após sua chegada física à Terra. A única forma de desativar essa força é acreditando que você está separado dela.

Conscientize-se do fato de que você tem o poder de mudar a energia dos seus relacionamentos com a sua família e com seus amigos por meio do poder da intenção.

Quando você desenvolve um grande anseio pela experiência de ter uma família pacífica, tudo começará a acontecer para que esse desejo profundo se realize de modo espontâneo e natural.

Saiba que o universo está sempre disposto a trabalhar com você e a seu favor e que você está num mundo amistoso, e não hostil.

Não guarde rancor e pratique o perdão. Essa é a chave para ter paz nos seus relacionamentos.

Quanto mais você oferece amor – mesmo para aquelas pessoas que, a seu ver, o prejudicaram de algum modo –, mais se aproxima de *ser* amor. E é nessa forma de manifestação do amor que a intenção é alcançada.

Emane uma energia de serenidade e paz para que você possa contribuir para a elevação de todos aqueles com quem entra em contato.

É impossível perceber e reconhecer a sua própria perfeição se você é incapaz de ver e honrar essa mesma perfeição nos outros.

Se você deseja paz às pessoas, você a receberá. Se deseja que os outros se sintam amados, você será o destinatário desse amor.

Ao se sentir bem durante todo o dia, você se torna um instrumento da paz, e é através desse canal que extirpa os problemas.

Seu propósito só será encontrado no ato de servir os outros e na conexão com algo bem maior do que o conjunto formado pelo seu corpo, sua mente e seu ego.

Você conhecerá o próprio potencial que possui para a grandiosidade quando começar a ver a perfeição em todos os relacionamentos.

É importante lembrar que o ódio, dirigido contra si mesmo ou aos outros, sempre pode ser convertido no poder da intenção, que concede a vida e o amor.

Comece a praticar a intenção de ser autêntico e pacífico com *todos*. Desse modo, você se vincula à própria paz.

Identifique a luz nos outros e trate-os como se ela fosse tudo o que você vê neles.

Tente sentir o que deixaria os outros mais felizes e realizados. Depois envie a alta energia da intenção para esse sentimento e concentre-se em irradiá-la para fora de si mesmo, especialmente quando estiver na presença deles.

Se você não está sendo tratado do modo como gostaria, reconheça: *"Ensinei essas pessoas a me tratar desse jeito – isso é o resultado da disposição que tive em dar mais importância às opiniões que elas têm sobre mim do que às minhas próprias. Agora é minha intenção ensiná-las de que modo desejo ser tratado daqui em diante!"*

Abandone a necessidade que seu ego tem de estar certo.

Pare de esperar, rezar e implorar pelo aparecimento das pessoas certas na sua vida. Saiba que você tem o poder de atraí-las, desde que seja capaz de mudar da energia orientada pelo ego para a energia da Origem da intenção que tudo provê.

Você tem a capacidade de se conectar ao poder da intenção e atrair para a sua vida pessoas ideais e relacionamentos divinos.

Ao sentir necessidade de que a pessoa certa surja em sua vida, declare: "*Sei que a pessoa certa está chegando na ordem divina precisamente no momento perfeito.*"

Veja todas as coincidências consideradas estranhas em torno dos seus desejos como mensagens da sua Origem e aja imediatamente com base nelas.

Neste universo, que foi criado por uma inteligência divina e organizadora, simplesmente não existem acasos.

Acredite na sincronicidade. Não se surpreenda quando alguém em quem você estava pensando aparecer do nada, quando o livro perfeito chegar inesperadamente pelo correio nem quando o dinheiro para financiar um projeto surgir de forma misteriosa.

Leia os livros que surgem misteriosamente na sua vida e preste muita atenção nas conversas que parecem indicar que você está sendo convocado para algo novo.

A bondade concedida, recebida ou observada afeta de forma benéfica a saúde física e os sentimentos de todos os envolvidos.

Quando as pessoas se sentem belas, elas agem de forma bela. Sempre que você está conectado à intenção, a beleza se dissemina entre os outros simplesmente por causa da sua presença.

Quando opta por ver beleza em tudo, até mesmo uma pessoa nascida na pobreza e na ignorância consegue vivenciar o poder da intenção.

Imagine-se como um espelho e reflita o que chega à sua vida sem julgar nem opinar.

Não julgue a si mesmo nem os outros como gordo demais, alto demais, feio demais – ou qualquer outra coisa demais! Assim como o poder da intenção o aceita e o reflete livre de julgamento e apego, você também deve tentar ser assim com o que surge na sua vida.

Cada um dos seus pensamentos pode ser energeticamente calibrado de acordo com o efeito que ele exerce sobre o seu corpo e o seu ambiente.

Saiba que ninguém é capaz de deixá-lo contrariado sem a sua permissão.

Decore seu ambiente com fotografias de paisagens, de animais e de expressões de alegria e amor, e deixe que a energia dessas imagens flua para dentro do seu coração e lhe proporcione a sua freqüência mais alta.

Encare os eventos que você considera obstáculos como oportunidades perfeitas para testar a sua determinação e encontrar o seu propósito.

O simples fato de conseguirmos respirar e ter a experiência da vida é a prova de que a natureza do Espírito que concede a vida é criativa em sua essência.

Evite campos de baixa energia onde haja excesso de álcool, consumo de drogas ou conduta violenta, além de reuniões que fomentem a exclusão religiosa ou étnica e o preconceito.

Afastando-se de substâncias de baixa energia, como o álcool e as drogas, você pode atingir o nível de consciência que anseia.

Seu eu físico é inspirado por uma força divina que impulsiona os batimentos do seu coração, a digestão da sua comida e até o crescimento das suas unhas, e essa mesma força é receptiva à saúde infinitamente abundante.

Lembre-se de ser bondoso consigo mesmo em todas as opções que fizer sobre a sua vida diária.

Aceite o fato de que você nunca conseguirá fazer tudo e comece a viver mais plenamente no único momento de que dispõe: agora!

Recuse-se a ver a si mesmo como alguém não autêntico ou covarde, pois esses pensamentos o impedirão de agir com base no que você sabe que está destinado a ser. Tome iniciativas diárias para harmonizar seus pensamentos sobre sua grandiosa missão com as suas atividades.

Lembre-se de que o efeito que você exerce sobre os outros – sejam membros da família, desconhecidos, colegas de trabalho ou vizinhos – é um indício da força da sua conexão com o poder da intenção.

Ao agir como se tivesse um propósito, tratando os obstáculos como lembretes amigáveis de que deve confiar nos seus sentimentos mais profundos, você estará cumprindo sua própria intenção de ser uma pessoa que tem um propósito.

Lembre-se: você é a manifestação da intenção do amor, portanto deve *ser* amor para que possa manifestar intenção.

Diga as palavras "intenção" ou "intento" repetidamente quando estiver num estado de ansiedade ou quando tudo à sua volta parecer conspirar para desviá-lo da sua missão. Esse é um lembrete para que permaneça calmo e em paz.

Encare os pensamentos persistentes, aqueles que não vão embora, como se eles fossem a intenção lhe dizendo: "Você optou por expressar seu brilho singular, portanto por que insiste em ignorá-lo?"

Você não é o que possui e não é o que faz – você é um ser infinito e divino disfarçado de uma pessoa bem-sucedida que acumulou determinada quantidade de bens materiais.

O método mais rápido para compreender e viver seu propósito é perguntar a si mesmo se está pensando de maneira amorosa.

Aquilo que você sente que está errado ou falta nos seus relacionamentos indica o que está desajustado dentro de *você*.

Esqueça a idéia de que você é um corpo destinado a morrer. Em vez disso, busque a percepção do seu eu imortal.

Coloque afirmações positivas em locais estratégicos onde você as possa ver e ler com facilidade no decorrer do dia.

A idéia de tratar os outros com bondade envolve particularmente a maneira como você lida com pessoas indefesas, idosas, mentalmente incapacitadas, desvalidas, deficientes, etc. Todas elas fazem parte da perfeição de Deus.

Sinta a onda de força vital que lhe permite pensar, dormir, deslocar-se, digerir e até meditar. O poder da intenção responde ao fato de você valorizá-lo.

Tenha em mente que cada progresso moderno individual que você vê e considera normal foi criado por alguém que contemplou o propósito da sua manifestação.

Pensamentos estressantes e inflexíveis não precisam ser a sua forma habitual de reagir ao mundo. Ao desenvolver a prática de ter pensamentos que opõem o mínimo de resistência, você acabará se tornando a pessoa tranqüila que deseja ser.

Em todo aspecto da natureza, sem exceção, há uma intenção que lhe foi atribuída. O fruto do carvalho jamais se torna uma abóbora nem a maçã brota de uma laranja.

Ver as pessoas sempre como desonestas, preguiçosas, pecadoras e ignorantes pode ser uma forma de compensar algo que você teme.

Ao permitir que o ego determine o seu caminho diário, você desativa o poder da intenção.

Faça questão de usar seu tempo livre para ler sobre pessoas que são exemplos de vidas plenas de propósito e adote-as como modelos.

Quando você se vê como um ser infinito, o medo da morte é para sempre eliminado.

Sempre que você não está em harmonia com a *energia* do amor, é porque se afastou da intenção e enfraqueceu sua capacidade de ativá-la por meio da *expressão* do amor.

Se você se preocupa demais com o modo como será visto por todos, é porque se desvinculou da intenção e deixou-se guiar pelas opiniões dos outros.

Afaste-se calmamente das pessoas que falam muito alto, têm comportamento agressivo e são inflexíveis em suas opiniões. Envie-lhes uma bênção silenciosa e, depois, siga em frente com discrição.

Pratique a bondade e a boa vontade com todos os animais – dos minúsculos aos enormes –, com todo o reino da vida na Terra – como as florestas, os desertos e as praias – e com tudo em que pulse a essência da vida.

O amor é cooperação, e não competição – ele é a força por trás da vontade de Deus.

Não absorva energias enfraquecedoras emanadas por quem está à sua volta. As pessoas não poderão derrubá-lo se você estiver operando nas energias mais altas.

Lembre-se de que, ao pensar em algo de que guarda rancor, você age com base naquilo em que está pensando e, ao mesmo tempo, atrai mais disso para você.

Por meio da imaginação, Deus traz tudo à realidade. Adote essa estratégia também.

Conscientize-se de sua própria capacidade surpreendente de afetar a cura e a saúde daqueles à sua volta pela simples presença silenciosa da sua conexão de alta energia com a intenção. Trata-se de uma energia literal que emana de você.

Seus filhos são seres espirituais que chegam *por seu intermédio,* e não *para* você.

Existe sempre algo belo a ser visto onde quer que você esteja. Neste exato momento, olhe ao seu redor e selecione a beleza como seu foco.

Harmonize-se com o "sentido de disponibilidade" da mente universal da qual todos e tudo se originam ao mesmo tempo em que o estende para fora de si. Assim, atrairá de volta tudo o que você deseja que se manifeste.

Simplesmente se recuse a pensar que você poderia ser vítima de doenças ou da invalidez e não passe os preciosos momentos da sua vida falando sobre males e feridas do passado.

Observe a incidência de qualquer pensamento que sustente a idéia de que a doença é algo pelo qual se pode esperar e elimine-o da sua mente.

Se você está doente, não peça para ser curado. Em vez disso, peça para ser devolvido à perfeição da qual emanou.

Quando você estiver conectado ao poder da intenção, pensará e sentirá de verdade que naquele momento nenhum tipo de doença jamais esteve presente e que você já recuperou a saúde.

Nas ocasiões em que se sentir debilitado, procure ativar pensamentos que prevejam seu restabelecimento e seu bem-estar geral.

Relacionamentos sagrados promovem o poder da intenção em níveis de alta energia para todos os envolvidos. Relacionamentos profanos mantêm a energia nos níveis mais baixos e lentos para todos os interessados.

Treine seus pensamentos para que eles transitem nos níveis das vibrações mais altas, de modo que você consiga se desviar das vibrações mais baixas e lentas.

Realize atos de bondade anonimamente e sem esperar nenhuma recompensa – nem sequer um obrigado.

Lembre-se das palavras do filósofo Pierre Teilhard de Chardin: "A conclusão é sempre a mesma. O amor é a mais poderosa e, mesmo assim, a mais desconhecida energia do mundo."

Faça um esforço consciente, a fim de mudar da crítica para pensamentos e sentimentos compassivos. Por exemplo, ofereça uma bênção silenciosa aos desabrigados, em vez de julgá-los preguiçosos ou prejudiciais à economia.

Sempre que você estoca a abundância que chega à sua vida, o fluxo se interrompe. É necessário que a mantenha em circulação, sabendo sempre que nada pode impedi-la de alcançar a sua vida, exceto alguma resistência que *você próprio* interponha no seu caminho.

Passe um tempo observando os bebês. Eles não trabalham, sujam as fraldas e não têm nenhum propósito a não ser se expandir, crescer e explorar este mundo incrível. Seja como o bebê que você já foi em termos de alegria.

Quando uma pessoa tem um propósito individual, procurar a beleza, mesmo na pior das circunstâncias, a conecta ao poder da intenção.

Habitue-se a se observar quando estiver pensando no que os outros querem para você e pergunte-se: *"Essa expectativa corresponde à minha?"*

Quando o poder da intenção está agindo em sua vida, sua presença faz com que os outros se sintam calmos e confiantes.

Pratique a bondade em relação à Terra recolhendo um lixo que encontrar no seu caminho ou fazendo uma prece silenciosa de gratidão pela existência da chuva, das cores das flores ou mesmo do livro que você tem nas mãos – ele foi doado por uma árvore.

A sabedoria combinada com a disciplina estimula a sua capacidade de se concentrar e ser paciente enquanto harmoniza os pensamentos, o intelecto e os sentimentos com a atividade do seu corpo.

Descartar a dúvida é a decisão de religar-se ao eu original. É a marca das pessoas que vivem em sintonia com seu próprio ser. Sua forma de pensar é infinita, não compreende limites.

Para atrair e preservar parcerias românticas e espirituais, você precisa ser aquilo que está buscando.

Mesmo nas piores situações, você é capaz de assimilar seu mundo com a energia da valorização e da beleza e criar uma oportunidade de transcender as circunstâncias.

Valorize a energia que você compartilha com todos os seres vivos agora e no futuro – e também com aqueles que viveram antes de você.

As circunstâncias da sua vida não são da maneira que são por causa de dívidas cármicas nem porque você está sendo punido. Elas simplesmente são suas. Portanto, apenas aceite que você teve participação em todas elas.

Quando você muda para uma mentalidade de abundância, está repetindo para si mesmo numerosas vezes que é ilimitado porque emanou da fonte inesgotável de intenção.

O vento, o sol, a chuva e os sons da natureza podem todos ser um lembrete de que você é parte integrante do mundo natural.

Ao elevar sua energia ao nível vibratório do campo da intenção, você está fortalecendo o seu sistema imunológico e aumentando a quantidade de substâncias do bem-estar produzidas pelo cérebro.

Não se isole espiritualmente de ninguém, não importa onde as pessoas morem nem quanto suas aparências e seus costumes sejam diferentes dos seus.

Para fazer uma idéia flutuar até à sua realidade, é preciso estar disposto a dar um salto mortal para dentro do inconcebível e pousar sobre seus pés, contemplando o que você quer, e não aquilo que não possui.

À medida que você for mudando seus padrões de pensamento para elevar as vibrações de energia, começará a desenvolver um relacionamento sagrado com os outros, o que é uma forma de se conectar com a Origem da Criação universal e desfrutar de paz e alegria.

Quando você reconhecer a sua força vital como representante do poder da intenção, uma onda de determinação e conhecimento se elevará por seu intermédio.

O poder da intenção está por toda parte. É o que permite que tudo se manifeste, aumente e supra infinitamente.

Numa atitude de *permissão,* qualquer resistência na forma de pensamentos de negatividade ou dúvida é substituída pelo simples conhecimento de que você e sua Origem são a mesma coisa.

Quando você começa a praticar a intenção de ser autêntico e pacífico, não se permite mais permanecer nas energias baixas.

Em vez de se manter num estado de conflito com um membro da sua família, faça uma prece em agradecimento à presença dessa pessoa na sua vida e por tudo o que ela veio lhe ensinar.

Em qualquer momento em que você não se sinta bem, escolha pensamentos de cura e bem-estar.

Manifestar sentimentos de hostilidade, ódio ou raiva em relação às pessoas que acreditam em qualquer forma de violência e a apóiam contribuirá apenas para que haja mais desse tipo de ação debilitante no mundo.

Sentir-se abundante supera o dinheiro em sua conta bancária e transcende o que as pessoas possam pensar de você.

Toda vez que você desrespeita alguém ou algo criado por Deus, desrespeita essa força criativa e obscurece sua conexão com o poder da intenção.

Se você está disposto a servir os outros se mantendo verdadeiramente desapegado dos resultados que isso possa lhe trazer, se sentirá "com um propósito", não importa quanta abundância flua de volta para sua vida.

Quando você aceita o seu poder de se curar e otimizar sua saúde, torna-se alguém capaz de curar os outros também.

Caso você se veja como inferior ou superior, é porque está desvinculado do poder da intenção. Os seus desejos não se concretizarão, a não ser que você se conecte a outras pessoas e as apóie.

Ame o que você faz e faça o que você ama. É tão simples!

Conscientize-se da sua identificação com o que é "normal", ou "corriqueiro", e comece a vibrar em freqüências energéticas cada vez mais altas, o que representa uma ascensão às dimensões extraordinárias da intenção pura.

Seja lá o que for que você pretenda realizar na vida, faça com que a motivação básica do seu esforço seja alguém ou algo diferente do seu desejo por gratificação ou recompensa.

Quando conseguir mudar seus pensamentos íntimos para o que *você* pretende criar ou atrair para sua vida, não precisará mais despender energia mental com o que os outros querem para você.

Rejeite o conceito "inimigos". Saiba simplesmente que todos nós emanamos da mesma Origem divina.

À medida que você for se familiarizando com a sua natureza eterna, se encontrará num estado permanente de gratidão por tudo o que ocorrer. Esse estado é o segredo para concretizar suas próprias intenções humanas individuais.

Querer se sentir bem significa querer sentir *Deus*. Lembre-se: "Deus é bom, e tudo o que Ele criou é bom."

O segredo para fazer com que qualquer coisa que você deseje se manifeste está na sua disposição e na sua capacidade de se realinhar, de modo que seu mundo interior esteja em harmonia com o poder da intenção.

Saiba que existem muitos desenlaces possíveis para qualquer problema, mesmo para aqueles que parecem impossíveis de superar.

O campo da intenção permite que todas as coisas emanem para ganhar forma, e seu potencial ilimitado se estabelece em tudo o que se manifesta – antes mesmo que as primeiras dores do seu nascimento se expressem.

Se você perguntar com bondade na voz e no coração "Como posso servi-lo?", a resposta universal será: "Como posso servi-lo também?"

Quando abandona a atitude de resistência, você se ilumina e pode consultar sua alma infinita. Assim, o poder da intenção se torna disponível para levá-lo aonde quer que você se sinta destinado a ir.

Evite ver qualquer pessoa como comum, a não ser, é claro, que você deseje que o comum se manifeste ainda mais em seu próprio mundo.

Saiba que você não precisa pedir menos nem se sentir culpado por querer a abundância – ela está aí à sua disposição e de todos numa quantidade ilimitada.

Se você costuma ver os outros como fracassos, precisa observar esse padrão como um indício do que *você está* atraindo para a sua vida.

Quando você opta por seguir a trilha da menor resistência, o sucesso deixa de ser algo que você *escolhe* e torna-se algo que você *é*. A abundância não foge mais da sua vida.

Em vez de estar interessado em ganhar discussões, acumular aliados e tentar persuadir os outros a pensar como você, seja convincente por intermédio da energia positiva que emite.

Ser criativo significa confiar em seu próprio propósito e adotar uma atitude de intenção resoluta em seus pensamentos e em suas atividades todos os dias.

O talento é uma característica da força criativa que permite que toda criação material ganhe forma. É uma expressão do divino.

Esteja absolutamente certo de que está em harmonia vibratória com a força criadora de tudo – a que teve a intenção de que você estivesse aqui.

Seja um apreciador, e não um detrator, de todas as coisas que surgem em sua vida. Diga "Obrigado, Deus" por tudo.

A força da intenção universal nunca reclama – ela cria e oferece suas opções pela grandeza.

A vida em si é eterna e determinará se você permanecerá conectado ao poder da intenção.

A capacidade de ver a si mesmo em toda a humanidade é uma característica do relacionamento sagrado. É a capacidade de celebrar e dignificar nos outros aquele lugar onde somos todos um só.

Honre o templo físico que o abriga alimentando-se de forma saudável, praticando exercícios, ouvindo as suas necessidades e tratando-o com dignidade e amor.

A meditação permite que você entre em contato consciente com a sua Origem e recupere o poder da intenção.

As coisas que você possui não são você. Por esse motivo, evite toda forma de apego a elas.

Você *é capaz* de se tornar exímio em elevar seu nível de energia e eliminar permanentemente as expressões energéticas que enfraquecem ou inibem a sua conexão com a intenção.

Sendo pacífico, tranqüilo e receptivo, você se molda à imagem de Deus e recupera o poder da sua Origem.

Somente a ação da discórdia em seus próprios sentimentos conseguirá privá-lo das coisas boas que a vida lhe reserva. Se você entender essa observação simples, impedirá as interferências na intenção.

Encare este mundo como um lugar abundante, provedor e amistoso. Desse modo, verá um lugar que deseja seu sucesso e sua fartura, e não um ambiente que conspira contra você.

Aprenda a se sentir à vontade com o conceito do infinito e veja a si mesmo como um ser infinito.

Se deixado em paz na sua mente e, ao mesmo tempo, na mente da intenção, aquilo que você deseja germinará na realidade do mundo físico.

Treine a sua imaginação (que é a mente universal fluindo por seu intermédio) para mudar do que você *não quer* para o que você *realmente quer*.

Pratique a humildade universal no que diz respeito às suas realizações e valorize tudo (exceto o seu ego).

Quando as energias da bondade, do amor, da receptividade e da abundância estão presentes nos seus relacionamentos, isso significa que você levou o amor do Criador para dentro dessa mescla.

O amor cria formas novas, modifica a matéria e mantém o cosmo coeso além do tempo e do espaço. Está em cada um de nós. Ele é o que Deus é.

Livre-arbítrio significa que você tem a opção de conectar-se ao Espírito ou não.

Lembre-se de que, ao elevar seu próprio nível de energia para alcançar a harmonia com a intenção, você se torna um instrumento, ou um canal, da paz.

Trate a si mesmo e os outros com bondade ao se alimentar, praticar exercícios físicos, brincar, trabalhar, amar e em tudo mais.

Não existem acasos. Você está aqui com o propósito pelo qual optou antes de entrar para o mundo das partículas e da forma.

Vincule-se à intenção, use o diálogo interior para permanecer concentrado naquilo que você pretende criar. Dessa forma, se verá recuperando o poder da sua Origem.

Quando você leva as freqüências da intenção à presença dos outros, eles se sentem energizados só por estarem em seu círculo imediato. Você nem precisa dizer nada.

Um conceito antigo, porém verdadeiro: "Somos todos iguais aos olhos de Deus."

Simplifique a sua vida. Remova da sua consciência as complicações, as regras, os "devo", os "preciso", os " tenho que", etc.

Você pode ativar tanto os pensamentos que lhe causam estresse quanto aqueles que tornam a tensão impossível. A escolha é sua.

Expanda a sua realidade a tal ponto que consiga realizar o que adora fazer e se destacar nessa atividade.

É preciso muito mais coragem, força de caráter e convicção interna para perdoar do que para persistir em sentimentos de baixa energia.

Quando estiver em meio a uma discussão, pergunte-se: *"Quero ter razão ou ser feliz?"* Sempre que você escolhe o estado de alegria, amor e espiritualidade, sua conexão com a intenção se fortalece.

As pessoas que se fortalecem com sua presença tornam-se espíritos afins. Isso só pode acontecer caso elas se sintam seguras e não atacadas, protegidas e não julgadas, calmas e não atormentadas.

Quando você pratica a intenção resoluta, equipara-se à intenção da mente universal, criadora de todas as coisas.

Recuse-se a permitir que seu bem-estar seja afetado por qualquer coisa que esteja fora de você – o mau tempo, guerras, a economia e, muito menos, a decisão de outra pessoa de mergulhar na baixa energia.

Se você se julga incapaz de fazer com que a abundância se manifeste, verá a intenção concordando com você e *o ajudando* na realização de expectativas modestas!

Existem milhões de atos de bondade ocorrendo no mundo a todo momento. Se você se vê como uma criação divina, se lembrará disso ao contemplar o ambiente ao seu redor. Dessa forma, os profetas do caos e da desgraça não o afetarão.

Pratique a paciência infinita nunca ficando insatisfeito com a velocidade nem com a maneira como as suas intenções estão se manifestando.

Muitos relacionamentos fracassam porque um ou ambos os parceiros acreditam que sua liberdade foi de algum modo cerceada. Nas parcerias espirituais, por outro lado, nenhum dos dois se sente inferior nem ignorado.

Quando, em meio a um pensamento enfraquecedor, você o substitui por um pensamento que fortalece, isso eleva a sua vibração de energia e dá mais poder a você e ao seu campo de energia imediato.

Toda vez que se encontrar com alguém, trate o acontecimento como um evento sagrado. Nada pode ser realizado sem uma interação positiva com as pessoas.

Procure a oportunidade de dizer a si mesmo: *"Sinto-me bem. Pretendo atrair mais desse sentimento bom e desejo distribuí-lo a toda e qualquer pessoa que dele necessite."*

Seu sentimento de admiração por todos os milagres que observa à sua volta lhe permite pensar, ver e viver mais dessas ocorrências milagrosas. Já um estado de ingratidão interrompe esse fluxo infinito.

Se você está vivenciando escassez, angústia, depressão e falta de amor – ou qualquer incapacidade de atrair o que deseja –, examine seriamente como você tem levado essas circunstâncias para a sua vida.

Deus é a mente por meio da qual você pensa e existe. Está sempre ligado a você, ainda que você não acredite Nele. Mesmo um ateu não precisa crer em Deus para apreendê-Lo.

Quando você se encontra num estado de contentamento e felicidade, é porque retornou à alegria pura, criativa, bem-aventurada e tolerante que constitui verdadeiramente a intenção.

A mente universal foi e é informe – ela é a pura energia do amor, da beleza, da bondade e da criatividade, e é imortal. Nela não há forma, nem morte, nem limites, nem deterioração, nem carne. Não existe a possibilidade de que se dissipe.

Quando inspirado, você ativa forças adormecidas, e a abundância que busca em alguma forma jorra para a sua vida.

O Espírito universal atua com tranqüilidade. E as suas tentativas de apressá-lo ou de forçar o seu pleno florescimento criativo podem destruir o processo inteiro. Portanto, confie nessa sabedoria enquanto ela avança em seu próprio ritmo e não exija nada dela.

Aprender a identificar as maneiras que você utiliza para criar os seus próprios obstáculos pode ser algo tremendamente esclarecedor.

Envolva-se em níveis de alta energia em termos de confiança, otimismo, reconhecimento, reverência, alegria e amor ao se engajar em qualquer atividade.

Uma das formas mais eficazes de transcender o *comum* e passar para a esfera do *extraordinário* é dizer *sim* com mais freqüência e eliminar o *não* quase por completo. É basicamente dizer *sim à vida.*

Pense o melhor sobre todos em seu mundo. Dessa maneira, descobrirá que esses pensamentos positivos retornam para você na mesma medida.

Ao examinar os incidentes que provocam o estresse, você sempre tem a opção de conservar os pensamentos que causam ansiedade ou ativar aqueles que impedem sua manifestação.

Mesmo quando nada parecer indicar que você está alcançando o que deseja na vida, recuse-se a cultivar a dúvida.

Você precisa *ser aquilo* que está buscando, ou seja, sempre deixe claro o que deseja atrair.

Quando se sente bem, você está conectado ao poder da intenção, independentemente do que ocorre à sua volta ou do que os outros esperam que você sinta.

Visualize as pessoas da sua família com quem você não está se entendendo e sinta a paz que anseia para elas. Seu diálogo interior mudará e você começará a ter os relacionamentos que deseja.

O seu propósito está entre você e a sua Origem. Quanto mais você se aproximar daquilo com o que esse campo de intenção se parece e com o modo como ele age, mais saberá que está sendo guiado pelo propósito.

Aja como se o que você quer que se manifeste na vida já fosse uma realidade.

Noite e dia, sonhe com o que pretende fazer e ser. Esses sonhos interpretarão as suas intenções. Não deixe nenhuma dúvida se insinuar nos seus sonhos e nas suas intenções.

Quanto mais alto o seu campo de energia ressoar, maior será a sua capacidade de exercer um efeito sobre as pessoas com a sua própria energia curadora.

Você não reconhecerá o aspecto do seu talento, caso tenha sido condicionado a acreditar que deve aceitar seu quinhão na vida, pensar pequeno e não almejar alto demais para evitar decepções.

Sentir-se ofendido cria a mesma energia destrutiva que o magoou originalmente. Portanto, transcenda o seu ego e fique em paz.

Orações, pinturas, cristais, estatuetas, passagens espirituais em livros, as cores das paredes e até a disposição dos móveis em seu ambiente – tudo isso pode criar uma energia que o eleve, em vez de derrubá-lo.

Descubra algo para desfrutar em todos os campos dos empreendimentos humanos criativos e procure sempre expandir seus próprios horizontes.

Empenhe-se em atividades que tenham campos de energia altos, como ir a palestras sobre espiritualidade, freqüentar aulas de ioga, fazer ou receber massagens, visitar mosteiros ou centros de meditação, realizar trabalhos voluntários ou ajudar os outros de alguma forma.

Em todos os momentos da vida, lembre-se de que cada um dos seus pensamentos exerce um efeito sobre você.

Todas as manhãs, afirme: *"Eu só atraio paz à minha vida."* Com isso, as pessoas reagirão a você com sorrisos, agradecimentos, gestos amigáveis e cumprimentos amáveis durante todo o dia.

Opte por ver a morte como o simples ato de tirar a roupa ou de mudar de um aposento para outro – não passa de uma transição.

Não gaste energia mental com o modo como as pessoas acham que você deve viver a sua vida. Essa pode ser uma tarefa difícil no início, mas você apreciará a mudança quando ela acontecer.

As qualidades da criatividade e do talento estão dentro de você aguardando a sua decisão de se harmonizar com o poder da intenção.

Se você deseja realmente a aprovação, pare de pensar em si mesmo e concentre-se em estender a mão e ajudar os outros.

Acredite firmemente no potencial que todo ser humano tem de viver em paz e ser receptivo a tudo. Dessa forma, você será alguém que está em paz e é receptivo às possibilidades da vida.

Não é condenando algo que você conseguirá corrigi-lo. Isso apenas aumenta a energia destrutiva que já está permeando a atmosfera da sua vida.

Esteja certo de que, por meio da confiança constante na sua imaginação, as suas criações mentais se materializam na realidade.

Dentro de você há uma alma infinita e entusiasmada que deseja se expressar. É o Deus em seu interior encorajando-o a realizar, no sentido mais profundo, aquilo que você está destinado a ser.

A eternidade é agora! Neste exato momento, precisamente aqui, você é um ser infinito. Ao superar o medo da morte como um fim, você se funde com o eterno e sente o consolo e o alívio proporcionados por essa compreensão.

Contemple cada experiência que já teve e todas as pessoas que já desempenharam um papel na sua vida como elementos que lhe foram enviados em seu benefício.

Pelo menos uma vez por dia, agradeça pelo fato de seu coração continuar batendo e pela força invisível da qual esses batimentos dependem.

Pensamentos de baixíssima energia ficam evidentes se você usa todas as conversas como desculpas para falar sobre si mesmo. Qualquer conduta desse tipo exibe uma energia dominada pelo ego que atinge as pessoas de forma desagradável.

Tendo grandeza suficiente para se conciliar com seus supostos inimigos, você se respeitará bem mais do que antes dos seus atos de perdão.

Não há perdedores num mundo onde todos nós compartilhamos a mesma fonte de energia. Tudo o que você pode dizer é que, em determinado dia, seu desempenho ficou num nível diferente em comparação com o dos outros.

A sensação de ser uma pessoa que não merece consideração ou que está no lugar errado pode se dever à falta de amor-próprio. Respeite a si mesmo e a sua divindade mantendo-se ciente de que todos nós somos dignos de consideração. Nunca devemos duvidar disso.

Lembre-se de que, em cada momento da vida, você tem a opção de ser um anfitrião para Deus ou um refém do seu próprio ego.

Comece a contemplar o mundo concentrando-se nos pontos de vista potencialmente otimistas, e não nos prognósticos negativos dos pessimistas e das "vítimas".

Seja grato pelas habilidades com que foi dotado e pelos bens que acumulou, mas conceda todo o mérito ao poder da intenção, que o fez existir e do qual você é uma parte materializada.

Os seus sentimentos são pistas sobre o seu destino e o seu potencial e estão buscando a plena expressão da vida por seu intermédio.

Seu nível de auto-estima deve vir do conhecimento interior de que você tem uma conexão sagrada. Não deixe nada abalar esse alicerce divino.

Esteja sempre consciente de que você tem o poder de criar a vida naturalmente tranqüila e sem estresse que deseja.

Não é preciso lutar para *ficar* saudável – a saúde é algo que você já possui, contanto que não a perturbe.

Caso você se sinta fraco, letárgico e sem disposição após comer certas coisas, tome nota do que ingeriu para que possa evitar o consumo desses mesmos alimentos de baixa energia no futuro.

Quando vive em harmonia com o Espírito, você nunca se vê como alguém à parte. Essa percepção é fundamental para observar o poder da intenção em funcionamento no dia-a-dia.

Não torne os sentimentos dos outros sobre você mais importantes do que a sua opinião sobre si mesmo. Se você permitir que quaisquer pontos de vista ou pensamentos negativos a seu respeito se transformem na base da sua auto-imagem, estará pedindo à mente universal que faça o mesmo.

Sempre que estiver tendo pensamentos que o façam se sentir doente ou mal, esforce-se ao máximo para mudá-los para pensamentos que sustentem a idéia de bem-estar.

Quando você elimina o conceito de separação dos seus pensamentos, começa a sentir a sua conexão com tudo e com todos. Experimenta uma sensação de integração que lhe permite zombar de qualquer pensamento em que se veja como uma pessoa à parte.

Resista à tendência de avaliar os outros com base em sua aparência, em suas realizações e em suas posses.

Você vive num universo que tem um potencial ilimitado de alegria embutido no próprio processo de criação. A sua Origem, a mente da intenção universal, o adora mais do que qualquer outra coisa que você possa imaginar.

Anote afirmações positivas e leia-as regularmente. O ato de escrever fará com que esses pensamentos fiquem gravados no seu cérebro e exerçam um efeito profundo e duradouro.

Você obtém aquilo que pretende criar mantendo-se em harmonia com o poder da intenção, que é responsável por toda criação.

Descarte a idéia de que você é um corpo destinado a morrer e busque a consciência do seu eu imortal.

Seja proativo. Mantenha-se alerta em busca de sinais de sincronicidade e jamais os ignore.

Em vez de usar uma linguagem que dê a idéia de que seus desejos podem não se concretizar, fale baseando-se numa convicção interior que expresse o seu conhecimento profundo e simples de que a Origem universal tudo provê.

Os seus impulsos criativos são reais, vitais, valiosos e anseiam pela expressão. O fato de você conseguir concebê-los é a prova disso.

Afirme: *"Sou eterno. Isso significa que surgi neste mundo vindo da infinitude da intenção espiritual, a fim de cumprir um destino sobre o qual devo agir."*

Ao aplicar a sua individualidade singular às tarefas, você descobrirá que é capaz de criar qualquer coisa a que dirija sua atenção e imaginação.

Saiba que tudo acontecerá exatamente na hora certa, exatamente no lugar certo, exatamente com as pessoas certas.

Diga "Quero me sentir bem" quando se vir tentado a ceder a pensamentos de baixa energia.

Encare os obstáculos como oportunidades de propagar o poder da sua intenção resoluta. Isso significa estar em paz, distanciar-se das circunstâncias e ver-se como o observador, e não como a vítima.

Deixe que os outros discutam a respeito da sua reputação – ela nada tem a ver com você. Ou, como diz o título de um livro, "O que você pensa de mim não é da minha conta!".

Sentir-se genuinamente bem-sucedido é possível quando você se distancia das coisas que deseja e permite que elas fluam até você – e por *seu intermédio.*

Vibrações musicais estridentes, com batidas fortes e sons repetitivos, reduzem o seu nível de energia, enfraquecendo você e sua capacidade de fazer contato consciente com a intenção.

A sua idéia de que tudo isto aqui é temporário e de que você não faz parte da perfeição infinita de Deus pode levá-lo a estados de insegurança, ansiedade, auto-rejeição e depressão. Para deixar toda essa infelicidade para trás, basta substituir essa visão pela consciência infinita.

Vingança, raiva e ódio são energias baixíssimas que o impedem de se conectar aos atributos da força universal.

Não se esqueça: tudo se resume a estar em harmonia com a sua Origem. Os seus pensamentos podem surgir de uma existência que está em sintonia com a intenção ou que se opõe a ela.

Encontre sempre algo para apreciar – a beleza do céu estrelado, uma borboleta numa pétala de flor, uma criança sorrindo, o brilho e o esplendor natural dos idosos.

Como a sua Origem está sempre servindo e concedendo – e você é a sua Origem –, esteja sempre disposto a servir e conceder.

Torne a doação um modo de vida. Afinal, é isso o que a sua Origem e a natureza fazem eternamente.

Esteja consciente da sua ligação infinita com a sua Origem. Saiba que você é mais do que uma coleção de ossos, sangue e órgãos encerrada num corpo coberto de pele e pêlos.

Quando você pára de *necessitar* de quantidades maiores de tudo, mais daquilo que você *deseja* parece chegar à sua vida.

A superioridade arrogante faz com que você se sinta constantemente ofendido de uma forma ou de outra. Essa identificação equivocada é a origem da maioria dos seus problemas, bem como da maior parte dos conflitos da humanidade.

A presença de pessoas que irradiam altas freqüências faz com que você sinta sua unificação e sua conexão com toda a natureza e toda a humanidade, bem como com o poder da intenção.

Sua atitude em relação ao mundo em geral é um bom indicador do respeito que você tem por sua capacidade de expressar a intenção dos seus desejos.

Você não conseguirá levar o poder da atração para a sua vida se estiver odiando algo daquilo em que você se permitiu se transformar. Por quê? Porque o ódio cria uma força oposta de ódio que enfraquece os seus esforços.

Compreenda que você precisa de pouco para se sentir satisfeito e em paz.

Se você se torna aquilo em que pensa e se os seus pensamentos estão centrados no que existe de errado no mundo e em como você está revoltado, envergonhado e temeroso, logicamente agirá de acordo com essa idéia e se transformará no que está pensando.

Descarte pensamentos que envolvam problemas, limitações ou a possibilidade de que algo não se concretize.

Apenas confie na sua capacidade de contar alegremente com o fato de que o Espírito se expressa por seu intermédio e para você.

Não existe estresse nem ansiedade real no mundo – são os seus pensamentos que criam essas falsas crenças.

Mantenha na mente uma imagem clara da tarefa que deseja realizar. E recuse-se a permitir que essa intenção desapareça.

Permaneça num equilíbrio harmônico com o campo de intenção para ajudar a estabilizar e alinhar as forças do universo, que podem ficar descompensadas sempre que o nível de expressão do seu ego for excessivo.

Mostre desapego em relação a todos os que surgem em sua vida não exigindo que eles permaneçam, partam ou apareçam sempre que você quiser.

Ao tomar a decisão consciente de se desviar da preocupação, você dá início ao processo de redução do estresse ao mesmo tempo em que restabelece a conexão com o campo da intenção criadora de todas as coisas.

O amor-próprio deveria ser um estado natural para você, assim como é para todo o reino animal. Nem mesmo um camundongo não se julga merecedor daquilo que pretende ter.

Todos os pensamentos estressantes representam uma forma de resistência que você deseja erradicar. Modifique esses pensamentos monitorando os seus sentimentos e optando pela alegria em vez da ansiedade.

Saiba que as pessoas certas, as coisas certas, os trabalhos certos, os livros certos, os animais de estimação certos – em suma, todas as coisas – chegarão para ajudá-lo em cada um dos aspectos da sua vida.

As pessoas movidas pelo poder da intenção possuem uma vontade firme que não deixa nada interferir na realização do seu desejo íntimo.

Saiba disto: você não pode esperar atrair para a sua vida pessoas amáveis, confiantes e generosas se estiver pensando e agindo com crueldade, insegurança e egoísmo.

Você não é o conjunto de elementos de que se constitui o seu corpo – você apenas o utiliza. O que você é vai além do espaço e do tempo e está unido à mente universal infinita.

Pense nisto: você não precisa de mais uma dieta, nem de um manual de exercícios físicos, nem de um personal trainer. Vá para dentro de si mesmo, ouça o seu corpo e trate-o com todo o afeto e com toda a dignidade que o amor-próprio exige.

Quando a supremacia do ego se enfraquece em sua vida, você consegue ver o poder da intenção e maximizar seu potencial.

Procure algo para apreciar nos outros e se disponha a falar sobre isso com eles e com qualquer um que esteja disposto a ouvir.

Quanto mais você der de si mesmo, mais abrirá a porta para que a vida entre em abundância.

O Espírito concede vida, e todos neste planeta possuem o Espírito dentro de si mesmos como uma força onipotente para o bem.

Se uma amizade ou parceria requer a violação do seu eu e da sua dignidade, ela não é realmente uma amizade.

Você e o poder da intenção não estão separados. Portanto, quando você gera um pensamento alinhado com o Espírito, isso cria um protótipo espiritual que põe em movimento a manifestação dos seus desejos.

Quanto mais você ascende na escala para personificar de fato a iluminação e a consciência de Deus, mais consegue equilibrar as baixas energias.

Mantendo-se como uma porta aberta que nunca se fecha às possibilidades, você fica totalmente receptivo à abundância, que jamais pára de fluir.

Tudo e todos na sua história pessoal tinham que estar ali naquele exato momento. Qual é a prova disso? *Eles estavam ali!* Isso é tudo o que você precisa saber.

Seja bom consigo mesmo. Você é Deus manifestado, motivo suficiente para que se trate com bondade.

Um simples pensamento de perdão para alguém que possa tê-lo aborrecido no passado fará com que você se eleve ao nível do Espírito e o ajudará em suas intenções individuais.

Um dos meios mais eficazes de aumentar o poder de atração na sua vida e permitir a chegada da abundância é tirar o foco do dinheiro e voltar-se para a farta criação de amizade, segurança, felicidade, saúde e alta energia.

A sua imaginação é o conceito de Espírito dentro de você, o seu Deus interior. É o vínculo invisível para a manifestação do seu próprio destino.

Você possui um dom singular para oferecer a este mundo. E você é singular em toda a história da Criação.

Toda vez que você perdoa, está se livrando do papel de vítima. Com isso, sua verdadeira força se manifesta.

Seja grato pelo dom maravilhoso de ser capaz de servir a humanidade, seu planeta e a seu Deus.

Você foi dotado de um corpo perfeito para abrigar o seu ser interior invisível. Qualquer que seja o seu tamanho, a sua forma, a sua cor ou as suas doenças imaginadas, ele é uma criação divina para o propósito que você tem a intenção de realizar aqui.

Compreenda a sua verdadeira essência, encare a morte de frente e rompa os grilhões da escravidão desse medo. Afinal, *se você não fosse um ser infinito, qual seria o propósito da sua vida?*

As recompensas pessoais multiplicam-se quando você se concentra em dar, e não em receber. Apaixone-se pelo que está fazendo e depois "venda" esse sentimento de amor, entusiasmo e alegria gerado por seus esforços.

Pratique ficar em silêncio e meditar. Não existe nada melhor do que isso para aliviar o estresse, a depressão, a ansiedade e todas as formas de baixa energia.

A idéia de separação, que é sustentada pelo ego, o estimula a basear seu valor na quantidade de vezes em que você se destaca como vencedor. No entanto, enquanto permanecer como refém do ego, você não conseguirá cultivar o amor-próprio porque se sentirá julgado por suas falhas.

Tome a decisão de ouvir com cuidado os seus insights por menores ou mais insignificantes que os tenha considerado anteriormente.

Quando está alegre, você se sente realizado e inspirado em todas as áreas da sua vida. Em suma, libertar-se da ansiedade e do estresse é um caminho para alcançar um estado de profundo prazer e contentamento com o campo da intenção.

É impossível viver eternamente desligado da Origem da qual você veio.

Não atribua a si mesmo o mérito por seus talentos nem por suas capacidades intelectuais, aptidões e competências. Pelo contrário, mantenha-se num estado de admiração e gratidão.

Você pode se sentir dotado de um propósito a cada dia se reservar um momento para animar um colega de trabalho insatisfeito, fazer uma criança sorrir ou até recolher um detrito do chão e jogá-lo na lixeira.

Neste universo pleno de propósito não existe nada como sorte ou acaso. Além de todas as coisas estarem conectadas a tudo o que existe, ninguém está excluído da Origem universal, que se chama intenção.

Nunca deixe de lembrar a si mesmo do seguinte: *"Não sou o meu corpo. Não sou as coisas que acumulo. Não sou as minhas realizações. Não sou a minha reputação. Sou completo e perfeito do modo como fui criado!"*

O seu chamado para um propósito não tem necessariamente a ver com a realização de uma tarefa específica nem com o fato de você seguir determinada profissão. Trata-se de compartilhar a si mesmo de forma criativa e amorosa, usando as habilidades e os interesses que lhe são inerentes.

Livre-se da necessidade de se sentir superior observando a revelação do Espírito em todas as pessoas.

A única coisa que o mal-estar consegue realizar é mergulhá-lo na ansiedade, no desespero, na depressão e no estresse. Em tais situações, pergunte-se qual pensamento será capaz de fazer com que você se sinta bem.

Mantenha-se num estado de gratidão e admiração. Ser grato é a forma mais segura de acabar com o diálogo interior incessante que o afasta da alegria e da perfeição da Origem.

Assuma um compromisso interno de respeitar a si mesmo e se sentir digno de tudo o que o universo tem a oferecer. Desrespeitar-se não é apenas desrespeitar uma das maiores criações de Deus – é desrespeitar a Deus.

Ouça com atenção os seus pensamentos interiores por mais inexpressivos que lhe pareçam no momento.

A inspiração advém de retornar *ao Espírito* e conectar-se ao poder da intenção. Quando você se sente inspirado, o que parecia arriscado torna-se um caminho que você deseja profundamente trilhar.

Pensamentos agitados que causam hipertensão, irritação no estômago, sentimentos persistentes de mal-estar, insônia e surtos freqüentes de raiva são violações do seu estado natural.

A meditação é uma forma de assegurar que você preserve o seu amor-próprio. Não importa o que esteja ocorrendo à sua volta: quando você penetra no espaço sagrado da meditação, todas as dúvidas sobre o seu valor como uma criação merecedora de estima se dissolvem.

Monitore o seu diálogo interior e harmonize os seus pensamentos com o que você deseja e o que pretende criar.

Todos nós somos filhos de Deus – todos! Tente ver isso mesmo naqueles que exibem um comportamento aparentemente ateu.

Ao agradecer sinceramente por tudo de bom de que dispõe agora, assim como pelos desafios, você fará com que uma *quantidade maior* de coisas boas flua para a sua vida.

Basta o fato de consumir substâncias de baixa energia para fazer com que pessoas de energia igualmente pobre surjam na sua vida. Elas vão querer comprar essas drogas para você, desejarão curtir a doideira ao seu lado e insistirão para que você repita a dose quando seu corpo se recuperar.

Anote a seguinte afirmação e pense nela com freqüência: *"Sou o reflexo da minha Origem, que é magnífica em todos os sentidos."*

Cultive a prática de desejar para os outros o que deseja para si mesmo. Desse modo, todos se beneficiarão.

Durma e sonhe com a alegria. E, acima de tudo, lembre-se: você se sente bem não porque o mundo está certo, mas o seu mundo está certo porque você se sente bem.

Realize uma ação construtiva para implementar as suas inclinações intuitivas.

Opte por estar próximo a pessoas que emanem força, que despertem sua sensação de conexão com a intenção, que vejam a grandiosidade em você e que se sintam ligadas a Deus.

Pessoas com um alto nível de compreensão aprendem a *pensar a partir do fim,* isto é, elas vivenciam o que desejam antes que isso se manifeste na forma material.

Se a vida é eterna, então esta não é a vida. Compreendendo esse conceito, você se ligará permanentemente à Origem da Criação infinita, que responde pela intenção de todas as cosias.

Lembre-se: *quando você muda sua maneira de observar as coisas, as coisas que você observa mudam.* O modo como você percebe o mundo é uma ferramenta poderosíssima que lhe permite transportar plenamente o poder da intenção para a sua vida.

Ao se tornar receptivo ao poder da intenção, você começa a *perceber* que a concepção, o nascimento e a morte são todos aspectos naturais do campo de energia da criação.

Em vez de rezar pedindo a Deus ou a um santo por um milagre, reze pelo milagre de seu despertar interior, que nunca o abandonará.

Sempre que se lembrar, diga a si mesmo: "Reconheço o que me faz bem", "Aceito o que me faz bem" e "Recebo o que me faz bem".

Manifeste seus pontos de vista permanecendo em harmonia com a energia criativa da Origem. Você nunca se sentirá ofendido, pois o seu ego não estará envolvido nas suas opiniões.

Permaneça sistematicamente em harmonia com o campo da intenção e depois procure os sinais de que o que você está evocando da Origem de toda criação está chegando à sua vida.

Se você já se sentiu inspirado por um propósito ou uma missão, conhece a sensação de ter o Espírito agindo por seu intermédio.

Ainda que seja apenas uma pausa de dois minutos durante a qual se mantém em silêncio, concentre-se no nome que você dá ao divino ou repita esse som como um mantra interno.

Cada momento lhe dá a oportunidade sagrada de reconhecer e usar o poder divino que emana do seu ser.

O mundo do Espírito, a partir do qual surge a intenção de todas as coisas, funciona em meio a paz, amor, harmonia, bondade e abundância, e é lá que você pode optar por viver dentro de si mesmo.

Caso você se veja como um ser espiritual infinito que está tendo uma experiência humana, e não o inverso, o resultado será uma conexão permanente com a abundância e a receptividade da Origem universal que torna a intenção de toda criação uma forma temporária.

Se você conseguisse estabelecer uma forte conexão com o *sentimento* do poder da intenção, perceberia que ele sempre cresce e confia em si próprio porque sua capacidade de concretizar as coisas é infalível – ele nunca erra o alvo.

Ser receptivo significa permitir que a sua consciência cuide da sua vida para você.

Lembre-se todos os dias da sua natureza eterna. Permanecer do lado ativo da infinitude, mantendo-se sempre consciente disso, o deixará na posição de fazer com que seus desejos se manifestem.

Encare todas as suas metas e atividades como funções da sua imaginação, que trabalhou orientando-o, encorajando-o e até empurrando-o na direção que a intenção lhe reservou enquanto você ainda não havia assumido sua forma material.

A sua imaginação cria uma imagem interna que lhe permite *participar* do ato da criação. É o vínculo invisível com a manifestação do seu próprio destino.

O autor

Wayne W. Dyer, Ph.D., é escritor e conferencista de atuação internacional no campo do desenvolvimento pessoal. Autor de 30 livros – entre os quais *A força da intenção* e *Para todo problema há uma solução* –, ele criou uma série de vídeos e programas de áudio sobre temas da sua especialidade. Doutor em Orientação Educacional pela Wayne State University, foi professor adjunto da St. John's University de Nova York. Site: www.DrWayneDyer.com

INFORMAÇÕES SOBRE OS PRÓXIMOS LANÇAMENTOS

Para receber informações sobre os lançamentos da EDITORA SEXTANTE, basta cadastrar-se diretamente no site www.sextante.com.br

Para saber mais sobre nossos títulos e autores, e enviar seus comentários sobre este livro, visite o nosso site www.sextante.com.br ou mande um e-mail para atendimento@esextante.com.br

EDITORA SEXTANTE
Rua Voluntários da Pátria, 45 / 1.404 – Botafogo
Rio de Janeiro – RJ – 22270-000 – Brasil
Telefone (21) 2286-9944 - Fax (21) 2286-9244
E-mail: atendimento@esextante.com.br